Bond
No.1 for exam success

Non-verbal Reasoning

10 Minute Tests

10–11+ years

OXFORD
UNIVERSITY PRESS

TEST 1: **Sequences and Codes**

Which pattern continues or completes the given series?

Example

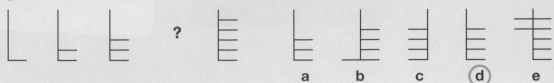

           a   b   c   (d)   e

1

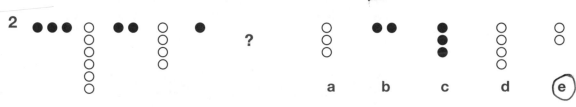

2

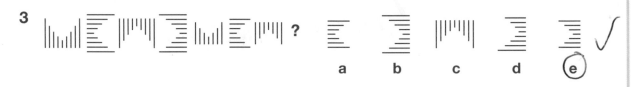

3

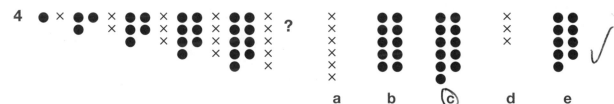

4

5

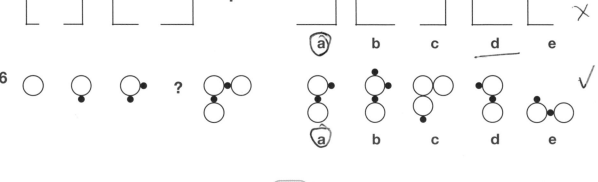

6

Using the given patterns and codes, select the code that matches the last pattern.

Example

AX   AY   BZ   CY   BX   ?

AY AX CZ BZ BY
a   b   (c)   d   e

7

AD   AE   CE   BF   ? C D

AF BE CF CD BD ?
a (b) c <u>d</u> e ?

8

G(Z)   H<u>X</u>   J(Z)   HY   JX   ?

JY JX HZ HY GY ✓
(a) b (c) d e ✓

9

NW   PY   MV   LX   MY   ?

PX LY NV MW PV ✓
a b (c) d (e)

10

AX   BX   CZ   (BY)   DZ   ?

DY CY BZ CX AY ?
a <u>b</u> c (d) e

11

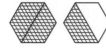

AT   BU   CS   BT   CT   AS   ? A u

BR AT CU BS AU
a b c (d) e

12

(AX)   BZ   DY   (CZ)   (AY)   ?
                                    C x

AZ BZ CX DX CY
a b c (d) e

3

Total 6

TEST 2: Codes and Analogies

Using the given patterns and codes, select the code that matches the last pattern.

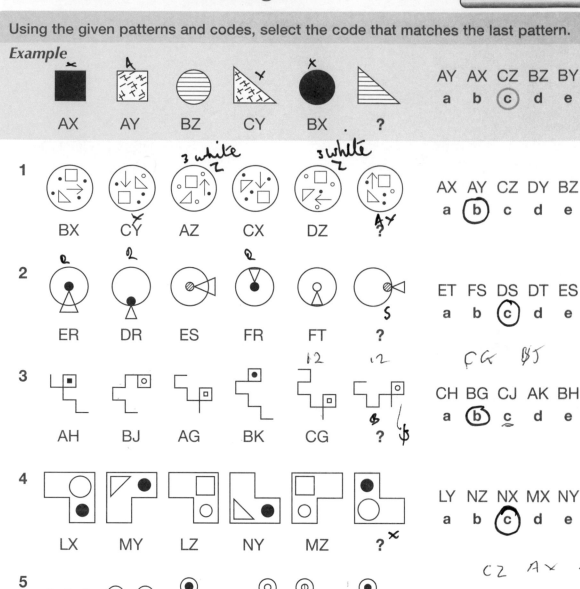

Example

AX AY BZ CY BX ?

AY AX CZ BZ BY
a   b   c   d   e

1

BX CY AZ CX DZ ?

AX AY CZ DY BZ
a   b   c   d   e

2

ER DR ES FR FT ?

ET FS DS DT ES
a   b   c   d   e

3

AH BJ AG BK CG ?

CH BG CJ AK BH
a   b   c   d   e

CG BJ

4

LX MY LZ NY MZ ?

LY NZ NX MX NY
a   b   c   d   e

5

AX BY CZ BZ DY ?

CX CY BZ DZ AY
a   b   c   d   e

CZ AX BX

6

AY BX CZ AX BZ DY ?

AZ BY DX DZ CY
a   b   c   d   e

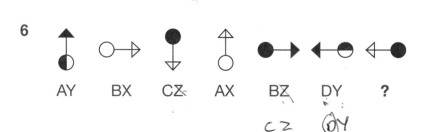

CZ DY

4

Which shape or pattern completes the second pair in the same way as the first pair?

Example

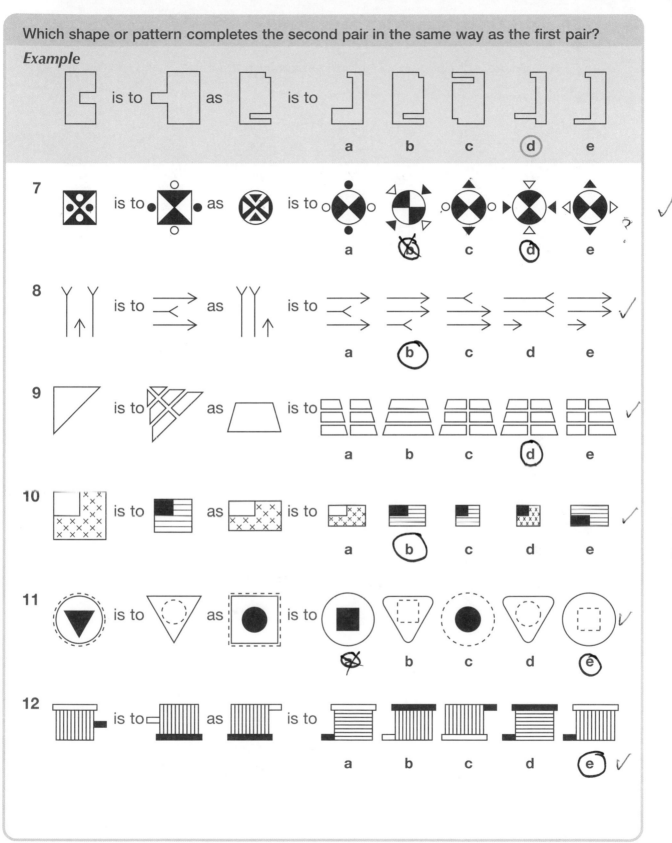

a   b   c   d   e

7

8

9

10

11

12

Total   8   12

TEST 3: Similarities and Sequences

Which shape on the right goes best with the shapes on the left?

Example

a   b   c   d   e

1

a   b   c   d   e ✓

2
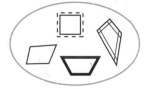
a   b   c   d   e ✓

3
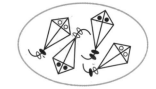
a   b   c   d   e ✓

4

a   b   c   d   e ✓

5
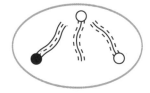
a   b   c   d   e ✓

6
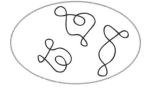
a   b   c   d   e ✓

6

Which shape or pattern completes the larger grid?

Example

 a   b   c   (d)   e

7   a   b   c   d   (e) ✓

8   a   (b)   c   d   e ✓

9   (a)   b   c   d   e ✓

10   a   b   (c)   d   e ✓

11   a   b   c   d   (e) ✓

12   (a)   b   c   d   e   ?

Total   11

TEST 4: **Sequences and Codes**

Which pattern continues or completes the given series?

Example

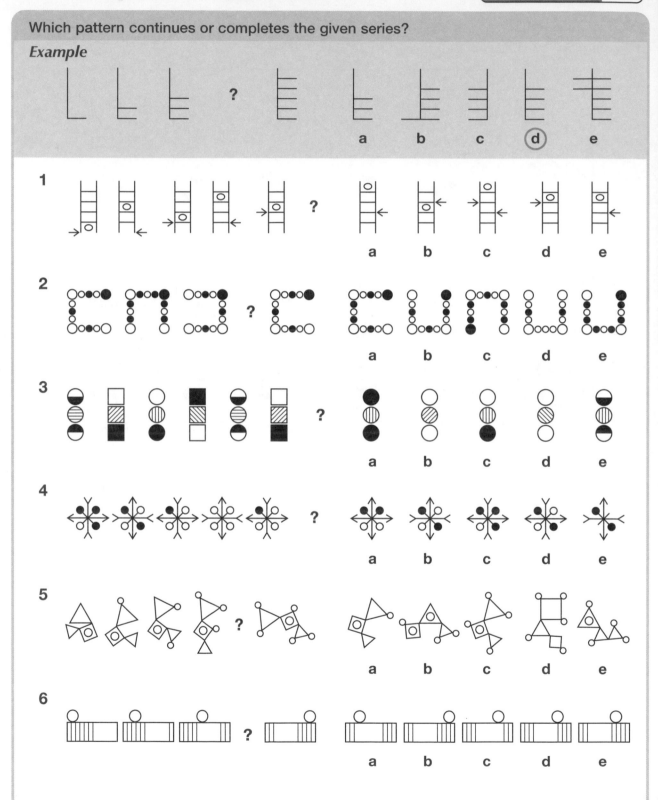

Using the given patterns and codes, select the code that matches the last pattern.

Example

AY AX CZ BZ BY
a b ⓒ d e

AX   AY   BZ   CY   BX   ?

7

ZR YS XS YQ ZQ
a b c d e

XP   YR   ZS   XQ   YP   ?

8

CN BN CL AO AL
a b c d e

AN   BM   BL   AM   CO   ?

9

DY CX CY AX DY
a b c d e

BX   CX   AY   DX   BY   ?

10

EL FN GN GM FM
a b c d e

FM   EM   GL   EN   FL   ?

11

AY BX CZ BY CY
a b c d e

AX   BY   AZ   CX   BZ   ?

12

CW EW VX EY DZ
a b c d e

DX   DW   EX   CZ   CY   ?

Time for a break! Go to Puzzle Page 42 ▶ Total

TEST 5: Cubes and Similarities

Which cube could not be made from the given net?

Example

a   b   c   (d)   e

1 a   b   c   d   e

2 a   b   c   d   e

3 a   b   c   d   e

4 a   b   c   d   e

5 a   b   c   d   e

6 a   b   c   d   e

Which shape on the right goes best with the shapes on the left?

Example

        a   b   c   (d)   e

7

        a   b   c   d   e

8

        a   b   c   d   e

9

        a   b   c   d   e

10

        a   b   c   d   e

11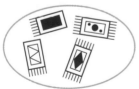

        a   b   c   d   e

12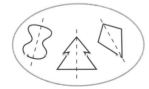

        a   b   c   d   e

Total

Using the given patterns and codes, select the code that matches the last pattern.

Example

AY AX CZ BZ BY
a b (c) d e

AX AY BZ CY BX ?

1

CY BX CX AY DZ
a b c d e

AZ BY CZ DX AX ?

2

CZ BY AZ AY BX
a b c d e

BX AX CY BZ CX ?

3

DN DL EM EL FL
a b c d e

DM EN FN EL FM ?

4

TE SH TH SE TF
a b c d e

SE SF TG TH SG ?

5

QN PW PS PN QS
a b c d e

PS QW PE QN QE ?

6

CH BF DF DH AF
a b c d e

AG CF BE AH DG ?

Which shape or pattern completes the second pair in the same way as the first pair?

Example

a   b   c   (d)   e

7   is to   as   is to

a   b   c   d   e

8   is to   as   is to

a   b   c   d   e

9   is to   as   is to

a   b   c   d   e

10   is to   as   is to

a   b   c   d   e

11   is to   as   is to

a   b   c   d   e

12   is to   as   is to

a   b   c   d   e

Total

TEST 7: **Analogies and Cubes**

Which shape or pattern completes the second pair in the same way as the first pair?

Example

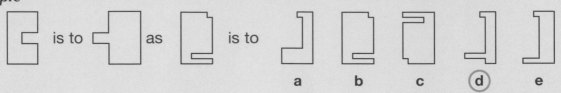

                     a   b   c   (d)   e

1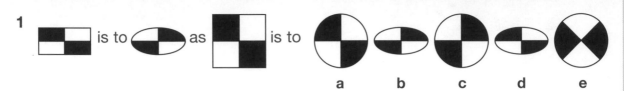

                   a   b   c   d   e

2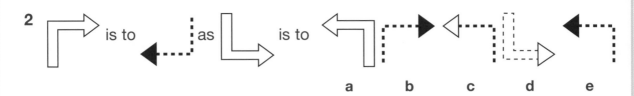

                   a   b   c   d   e

3

                   a   b   c   d   e

4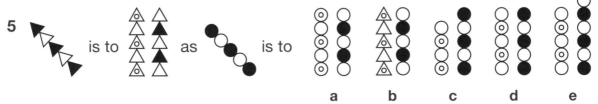

                   a   b   c   d   e

5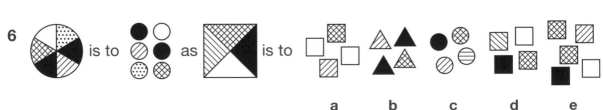

                   a   b   c   d   e

6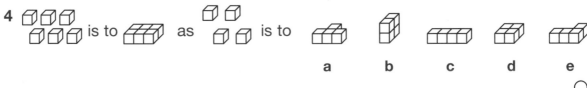

                   a   b   c   d   e

Which cube could not be made from the given net?

Example

a   b   c   (d)   e

7

a   b   c   d   e

8

a   b   c   d   e

9

a   b   c   d   e

10

a   b   c   d   e

11

a   b   c   d   e

12

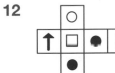

a   b   c   d   e

Total

Which pattern continues or completes the given series?

Example

a   b   c   (d)   e

1

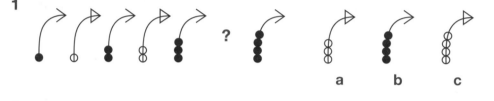

a   b   c   d   e

2

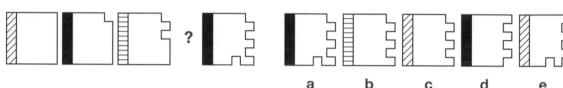

a   b   c   d   e

3

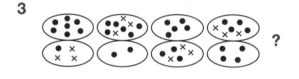

a   b   c   d   e

4

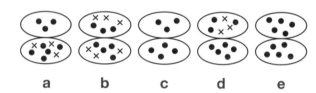

a   b   c   d   e

5

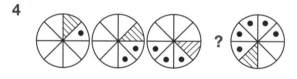

a   b   c   d   e

6

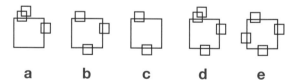
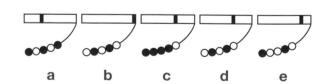

a   b   c   d   e

Which shape on the right goes best with the shapes on the left?

Example

         a   b   c   (d)   e

7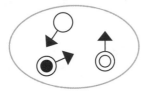

         a   b   c   d   e

8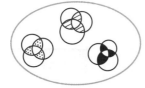

         a   b   c   d   e

9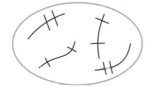

         a   b   c   d   e

10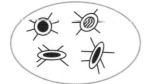

         a   b   c   d   e

11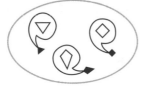

         a   b   c   d   e

12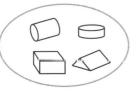

         a   b   c   d   e

Time for a break! Go to Puzzle Page 43 ▶   Total

Analogies and Similarities

Which shape or pattern completes the second pair in the same way as the first pair?

Example

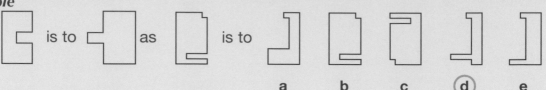

a b c d e

1

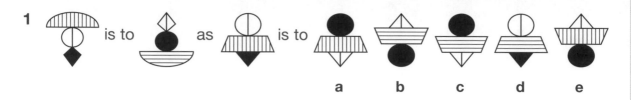

a b c d e

2

a b c d e

3

a b c d e

4

a b c d e

5

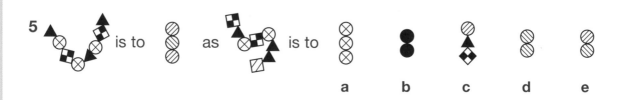

a b c d e

6

a b c d e

Which shape on the right goes best with the shapes on the left?

Example

a   b   c   (d)   e

7

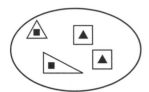

a   b   c   d   e

8

a   b   c   d   e

9

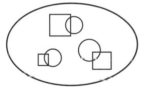

a   b   c   d   e

10

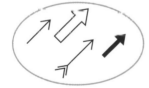

a   b   c   d   e

11

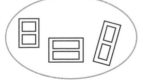

a   b   c   d   e

12

a   b   c   d   e

Total

Using the given patterns and codes, select the code that matches the last pattern.

Example

AY AX CZ BZ BY
a b (c) d e

AX AY BZ CY BX ?

1

ZL XN XL ZM YL
a b c d e

XL XM YN ZN YM ?

2

OG LE NE MF ND
a b c d e

LD MG NF OD ME ?

3

AT AV CV BT CU
a b c d e

AT BV BU CU CT ?

4

EA DA GC GB FB
a b c d e

FA DB GA DC EB ?

5

LY MX NX LX MZ
a b c d e

LX MY NY NZ MX ?

6

AF DF CH AH BH
a b c d e

BF DG CF AG DH ?

Which cube could not be made from the given net?

Example

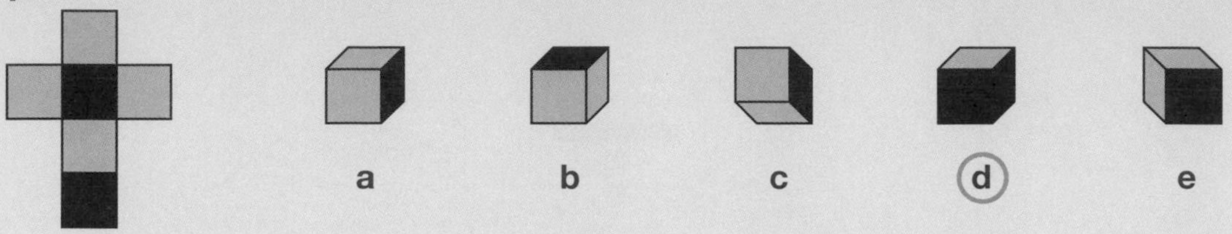

a   b   c   (d)   e

7

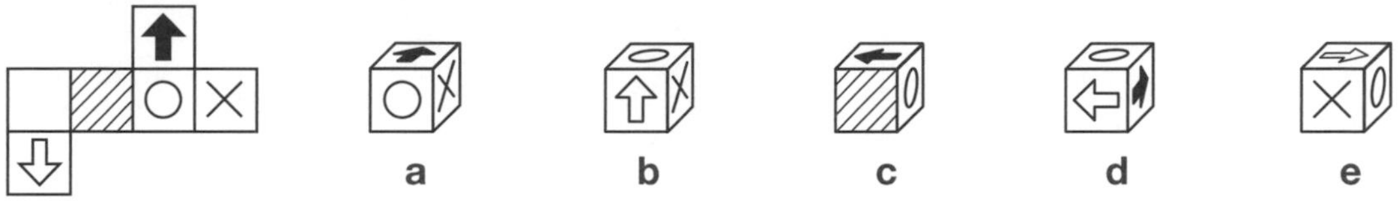

a   b   c   d   e

8

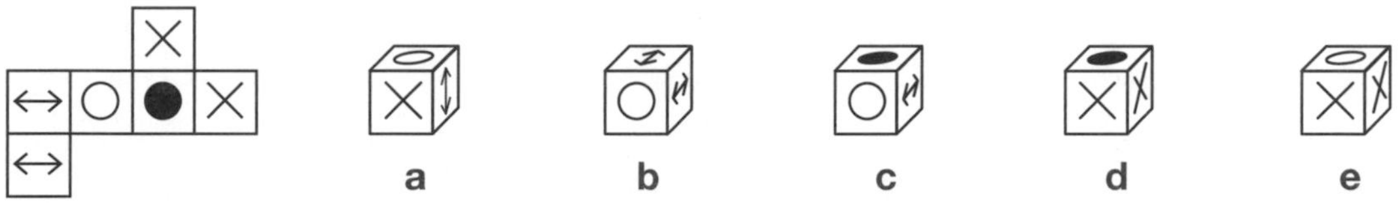

a   b   c   d   e

9

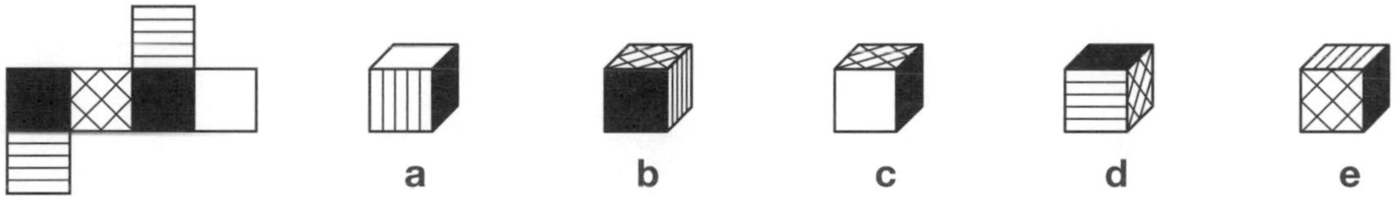

a   b   c   d   e

10

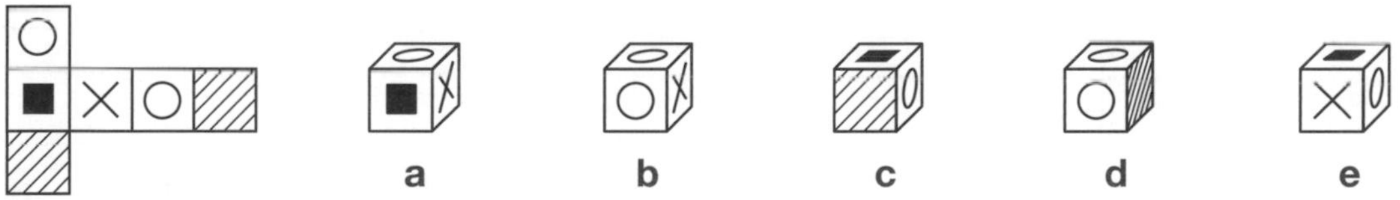

a   b   c   d   e

11

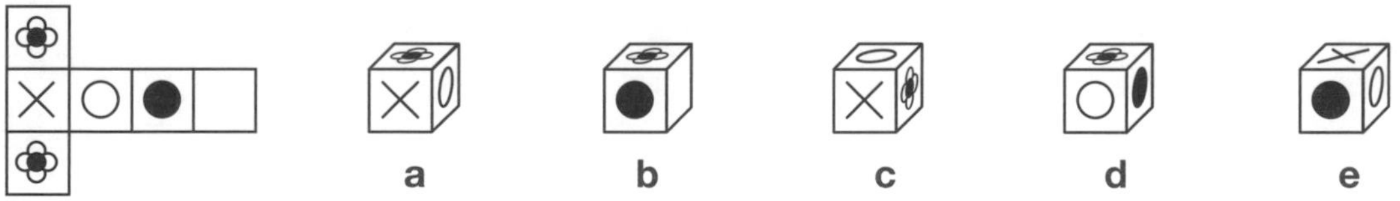

a   b   c   d   e

12

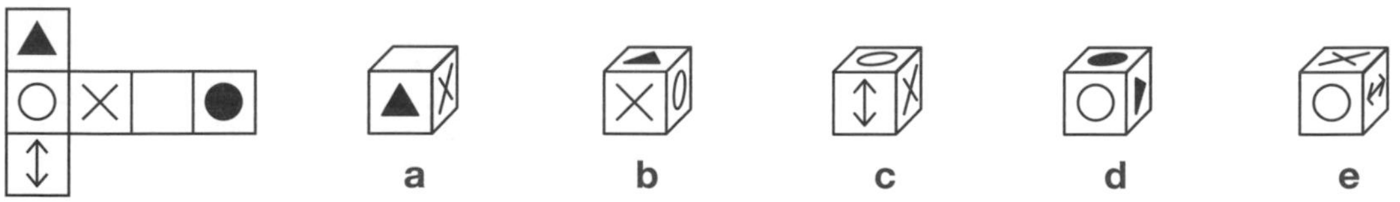

a   b   c   d   e

Total

Test time: 0 | | | | | 5 | | | | | 10 minutes

Which shape on the right goes best with the shapes on the left?

1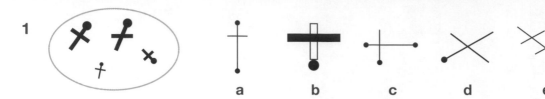

a   b   c   d   e

2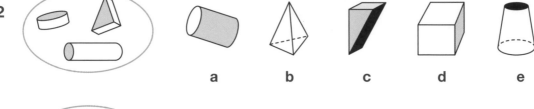

a   b   c   d   e

3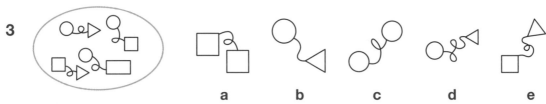

a   b   c   d   e

Which pattern continues or completes the given series?

4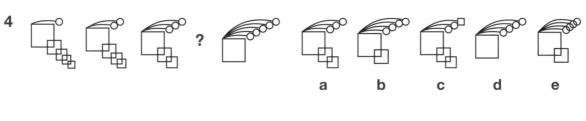

a   b   c   d   e

5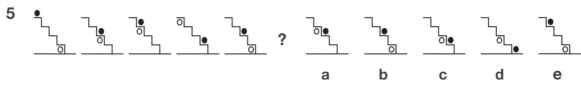

a   b   c   d   e

6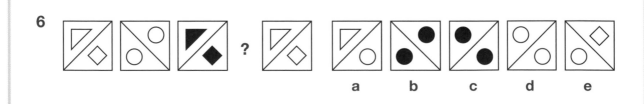

a   b   c   d   e

22

Which shape or pattern completes the second pair in the same way as the first pair?

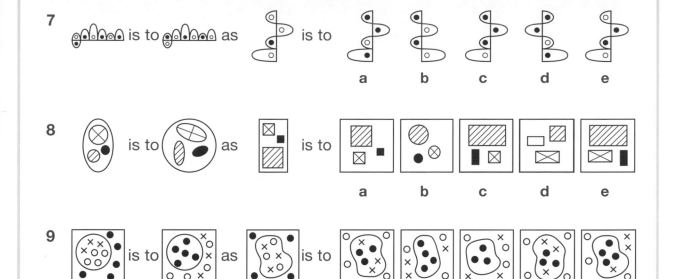

7

       a   b   c   d   e

8

       a   b   c   d   e

9

       a   b   c   d   e

Using the given patterns and codes, select the code that matches the last pattern.

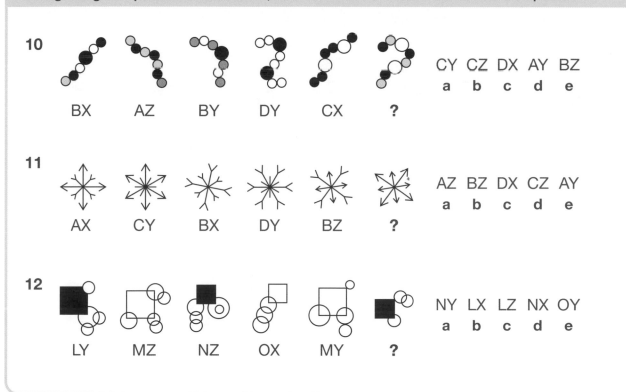

10   CY CZ DX AY BZ
                                             a   b   c   d   e

   BX   AZ   BY   DY   CX   ?

11   AZ BZ DX CZ AY
                                             a   b   c   d   e

   AX   CY   BX   DY   BZ   ?

12   NY LX LZ NX OY
                                           a   b   c   d   e

   LY   MZ   NZ   OX   MY   ?

Total

Which pattern continues or completes the given series?

1

a   b   c   d   e

2

a   b   c   d   e

3

a   b   c   d   e

Which cube could not be made from the given net?

4

a   b   c   d   e

5

a   b   c   d   e

6

a   b   c   d   e

In which of the patterns is the given shape hidden?

Example

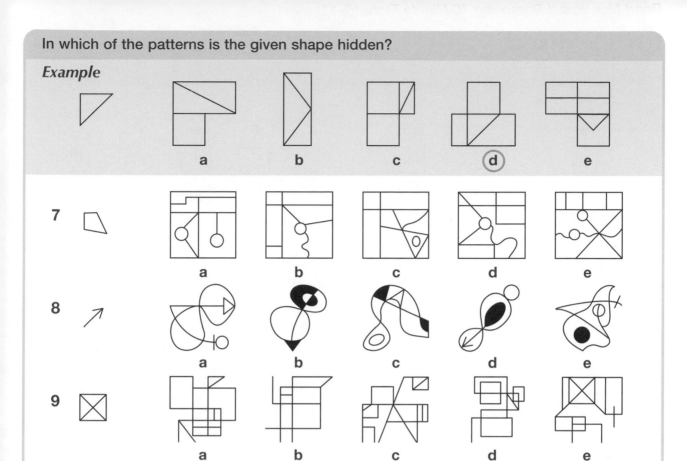

7

a   b   c   d   e

8

a   b   c   d   e

9

a   b   c   d   e

Using the given patterns and codes, select the code that matches the last pattern.

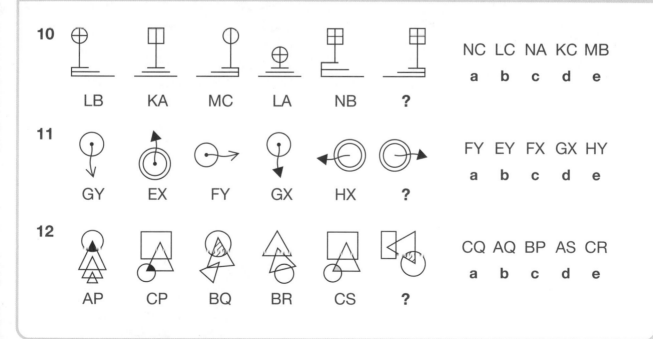

10

LB   KA   MC   LA   NB   ?

NC LC NA KC MB
a   b   c   d   e

11

GY   EX   FY   GX   HX   ?

FY EY FX GX HY
a   b   c   d   e

12

AP   CP   BQ   BR   CS   ?

CQ AQ BP AS CR
a   b   c   d   e

Time for a break! Go to Puzzle Page 44 ▶

Total

Test time: 0 | | | | | 5 | | | | | 10 minutes

Which shape or pattern completes the second pair in the same way as the first pair?

1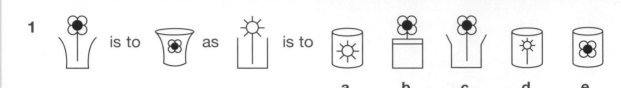

a b c d e

2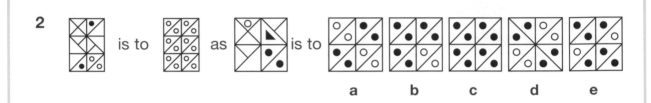

a b c d e

3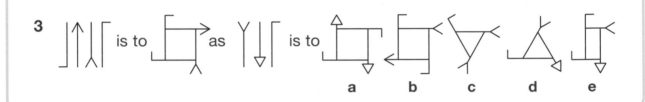

a b c d e

Which shape on the right goes best with the shapes on the left?

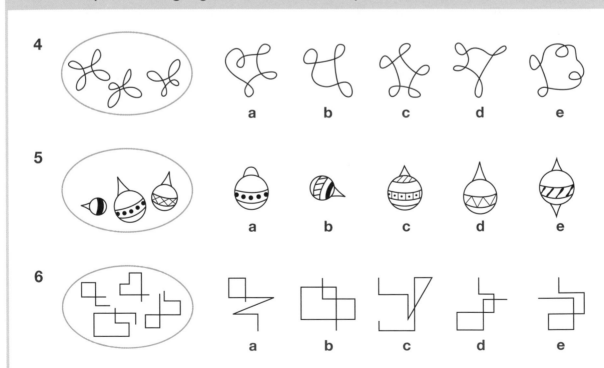

4

a b c d e

5

a b c d e

6

a b c d e

Which is the mirror image of the shape on the left?

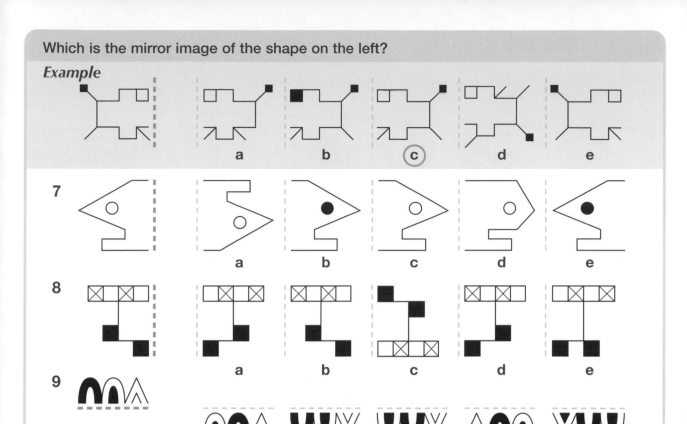

Example

a   b   (c)   d   e

7

a   b   c   d   e

8

a   b   c   d   e

9

a   b   c   d   e

Which pattern continues or completes the given series?

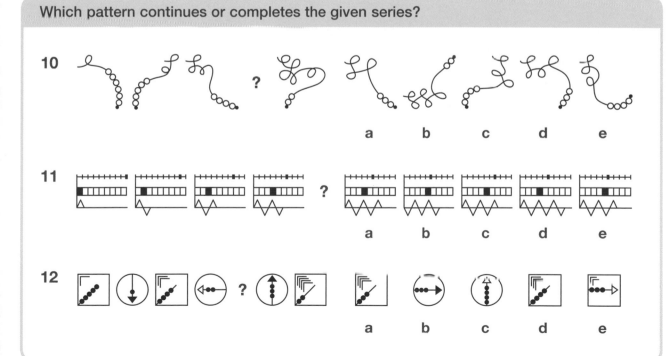

10

?   a   b   c   d   e

11

?   a   b   c   d   e

12

?   a   b   c   d   e

Total

TEST 14: **Mixed**

Which shape or pattern completes the second pair in the same way as the first pair?

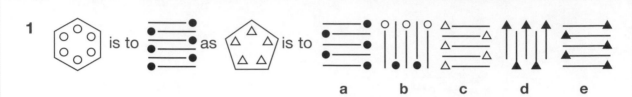

1

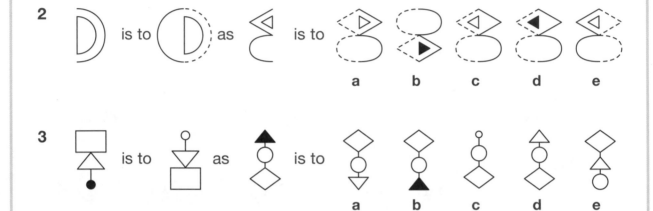

2

3

Which shape on the right goes best with the shapes on the left?

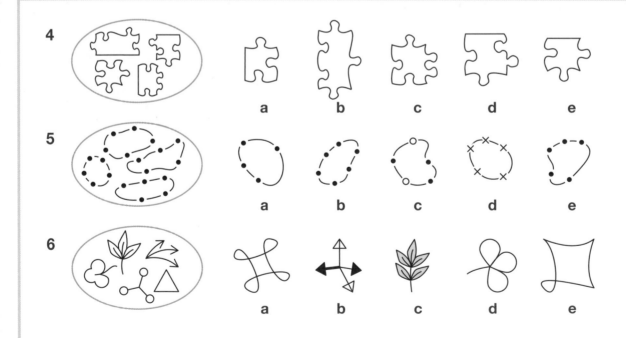

4

5

6

Using the given patterns and codes, select the code that matches the last pattern.

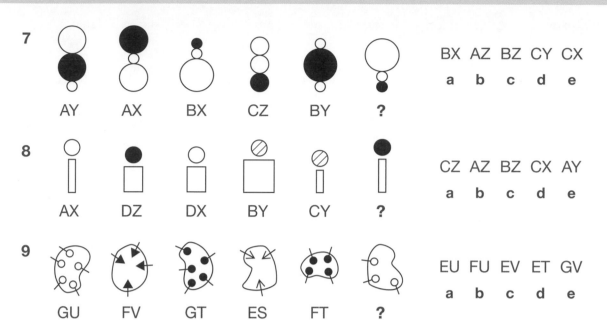

7   AY   AX   BX   CZ   BY   ?

BX AZ BZ CY CX
a   b   c   d   e

8   AX   DZ   DX   BY   CY   ?

CZ AZ BZ CX AY
a   b   c   d   e

9   GU   FV   GT   ES   FT   ?

EU FU EV ET GV
a   b   c   d   e

Which cube could not be made from the given net?

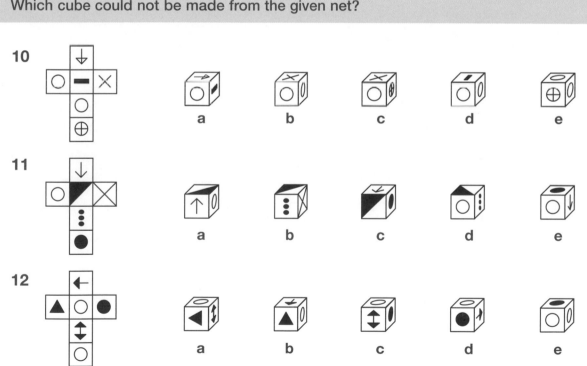

10   a   b   c   d   e

11   a   b   c   d   e

12   a   b   c   d   e

Total

Test time: 0 |||||| 5 ||||| 10 minutes

Which pattern continues or completes the given series?

1

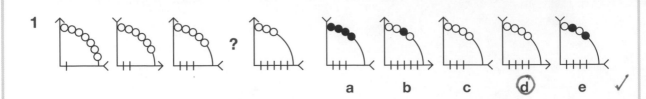

a   b   c   (d)   e   ✓

2

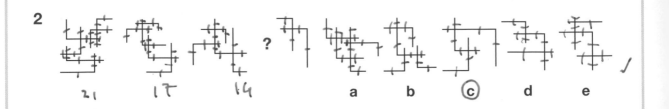

21   1T   14   a   b   (c)   d   e   ✓

3

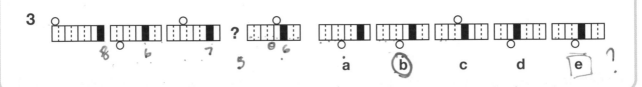

8   6   7   5   θ 6   a   (b)   c   d   [e] ?

Using the given patterns and codes, select the code that matches the last pattern.

4

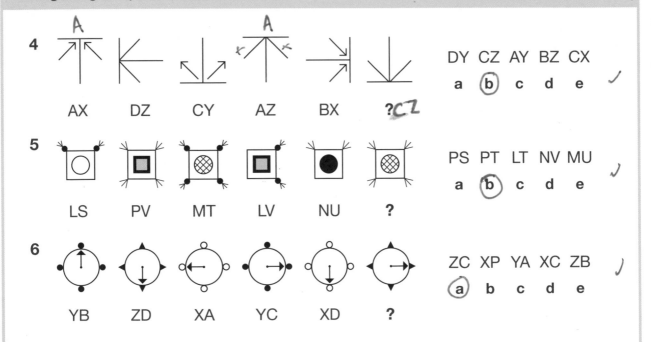

A   A

AX   DZ   CY   AZ   BX   ?CZ

DY CZ AY BZ CX   ✓
a (b) c d e

5

LS   PV   MT   LV   NU   ?

PS PT LT NV MU   ✓
a (b) c d e

6

YB   ZD   XA   YC   XD   ?

ZC XP YA XC ZB   ✓
(a) b c d e

In which of the patterns is the given shape hidden?

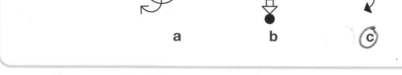

7 ○   a   b   c   d   (e) ✓

8 ⊠   a   b   (c)   d   e ✓

9 ↷   a   b   (c)   d   e ✓

Which shape on the right goes best with the shapes on the left?

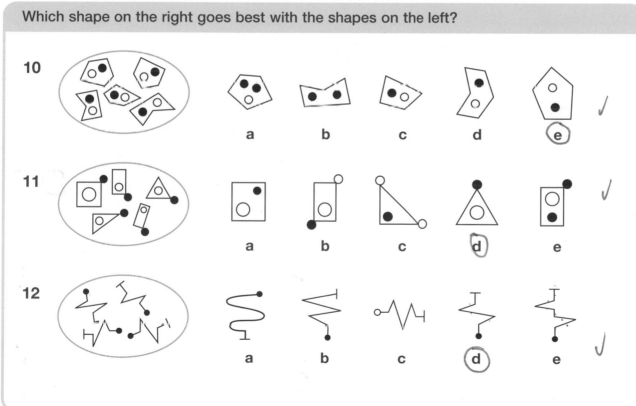

10   a   b   c   d   (e) ✓

11   a   b   c   (d)   e ✓

12   a   b   c   (d)   e ✓

Total ✓ ✓
12

Which cube could not be made from the given net?

1 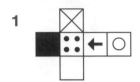   **a**   **b**   **c**   **d**   **e** ✓

2 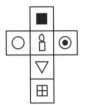   **a**   **b**   **c**   **d**   **e** ✓

3 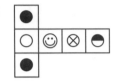   **a**   **b**   **c**   **d**   **e** ✓

Which shape or pattern completes the second pair in the same way as the first pair?

4 is to as is to

     a   **b**   **c**   **d**   **e** ✓

5 is to as is to

     a   **b**   **c**   **d**   **e** ?

6  is to as is to

     a   **b**   **c**   **d**   **e**   ✓

Which shape on the right goes best with the shapes on the left?

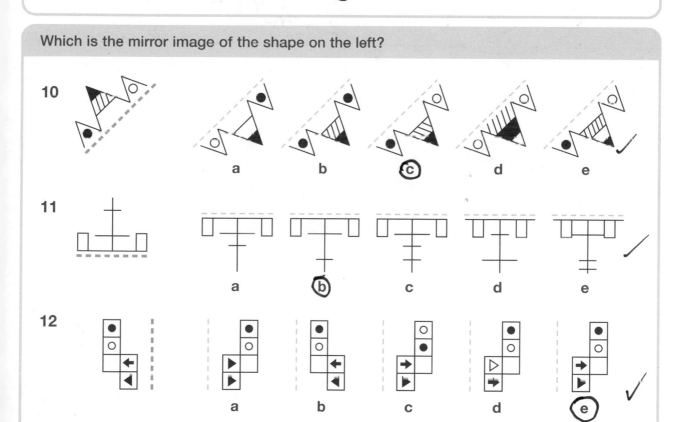

7

a   b   c   d   (e) ✓

8

a   b   c   (d)   e ✓

9

a   (b)   c   d   e ✓

Which is the mirror image of the shape on the left?

10

a   b   (c)   d   e ✓

11

a   (b)   c   d   e ✓

12

a   b   c   d   (e) ✓

Using the given patterns and codes, select the code that matches the last pattern.

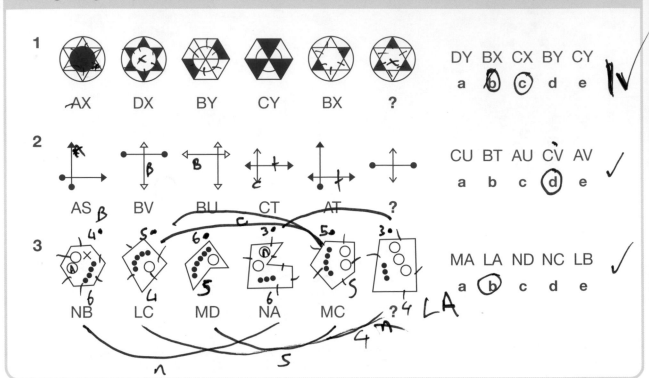

1   AX   DX   BY   CY   BX   ?

DY BX CX BY CY
a   b   c   d   e

2   AS   BV   BU   CT   AT   ?

CU BT AU CV AV
a   b   c   d   e

3   NB   LC   MD   NA   MC   ?

MA LA ND NC LB
a   b   c   d   e

Which shape or pattern completes the second pair in the same way as the first pair?

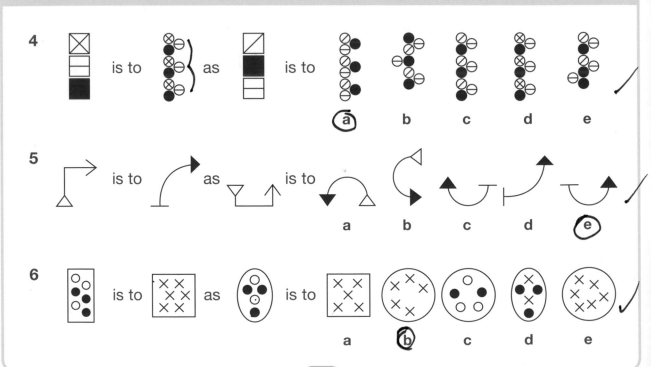

4   is to ... as ... is to
a   b   c   d   e

5   is to ... as ... is to
a   b   c   d   e

6   is to ... as ... is to
a   b   c   d   e

Which pattern continues or completes the given series?

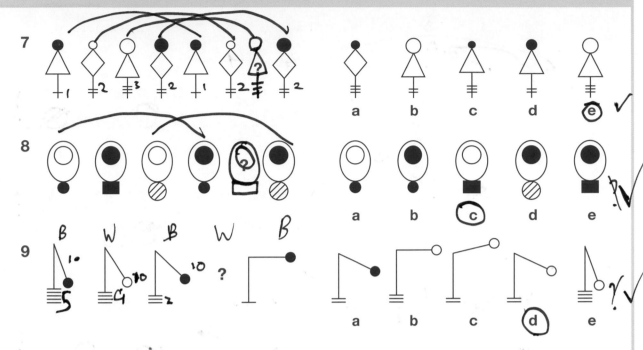

7 a   b   c   d   (e) ✓

8 a   b   (c)   d   e   ✓

9 a   b   c   (d)   e   ✓

Which shape on the right goes best with the shapes on the left?

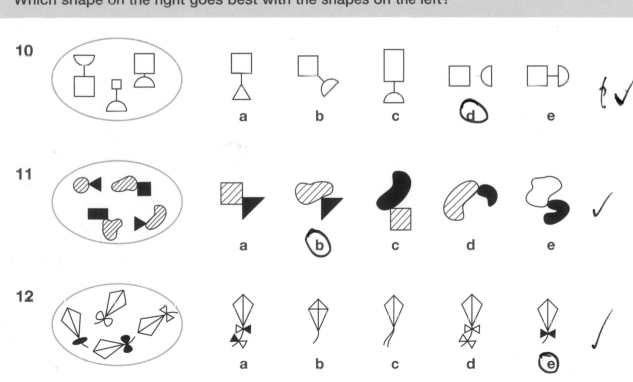

10 a   b   c   (d)   e   ✓

11 a   (b)   c   d   e   ✓

12 a   b   c   d   (e)   ✓

Total   12

Test time: 0   5   10 minutes

Using the given patterns and codes, select the code that matches the last pattern.

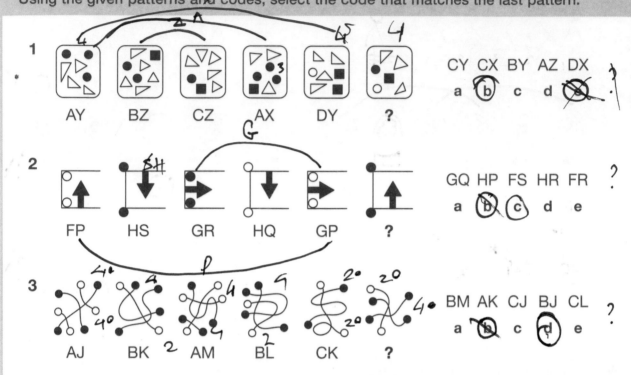

1. AY   BZ   CZ   AX   DY   ?

CY   CX   BY   AZ   DX
a   b   c   d   e

2. FP   HS   GR   HQ   GP   ?

GQ   HP   FS   HR   FR
a   b   c   d   e

3. AJ   BK   AM   BL   CK   ?

BM   AK   CJ   BJ   CL
a   b   c   d   e

Which shape or pattern completes the second pair in the same way as the first pair?

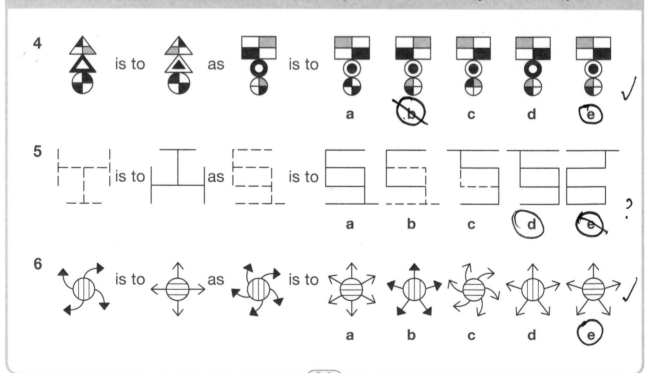

4. is to ___ as ___ is to

a   b   c   d   e

5. is to ___ as ___ is to

a   b   c   d   e

6. is to ___ as ___ is to

a   b   c   d   e

Which pattern continues or completes the given series?

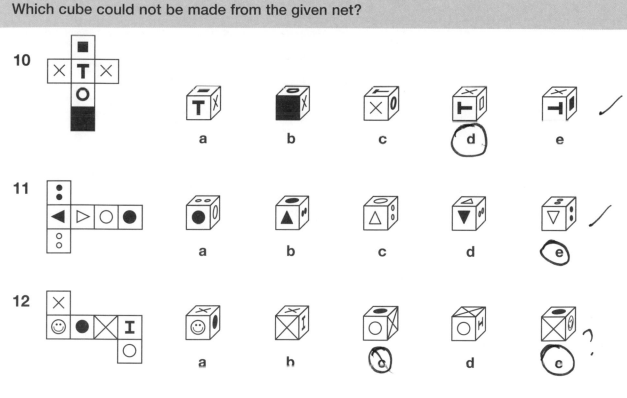

7 a b c (d) e ✓

8 (a) b c d e ✓

9 (a) (b) c d e ?

Which cube could not be made from the given net?

10 a b c (d) e ✓

11 a b c d (e) ✓

12 a b (c) d (c) ?

Total 6

Which shape on the right goes best with the shapes on the left?

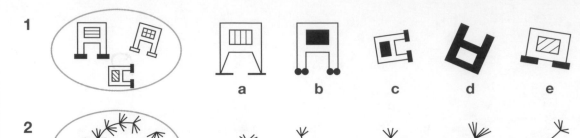

1   a   b   c   d   e

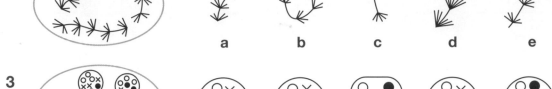

2   a   b   c   d   e

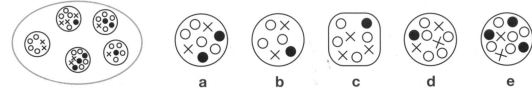

3   a   b   c   d   e

In which of the patterns is the given shape hidden?

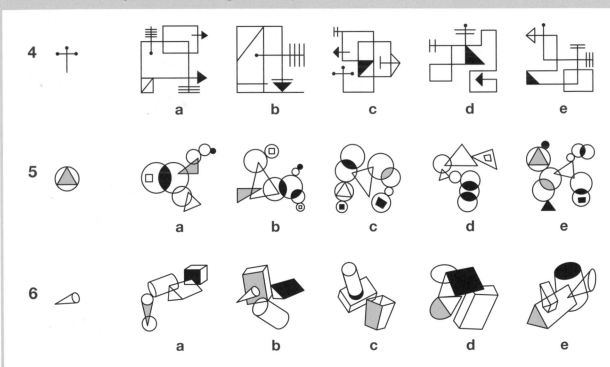

4   a   b   c   d   e

5   a   b   c   d   e

6   a   b   c   d   e

Using the given patterns and codes, select the code that matches the last pattern.

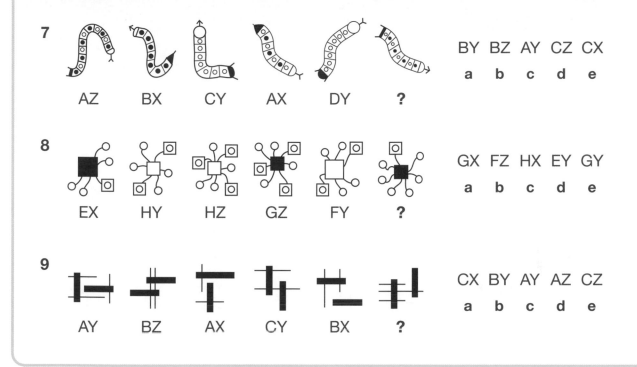

7

AZ   BX   CY   AX   DY   ?

BY BZ AY CZ CX
a   b   c   d   e

8

EX   HY   HZ   GZ   FY   ?

GX FZ HX EY GY
a   b   c   d   e

9

AY   BZ   AX   CY   BX   ?

CX BY AY AZ CZ
a   b   c   d   e

Which is the mirror image of the shape on the left?

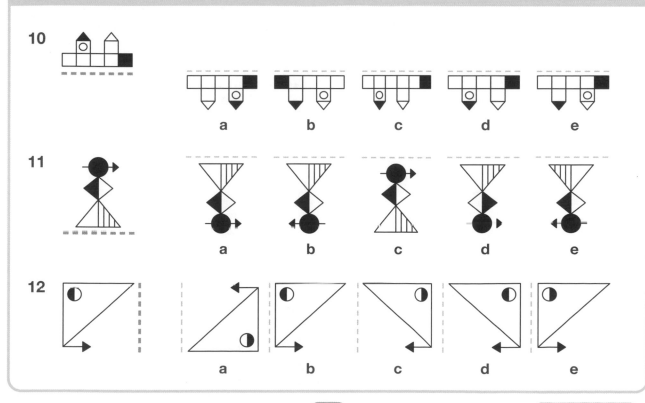

10

a   b   c   d   e

11

a   b   c   d   e

12

a   b   c   d   e

39

Total

Which pattern continues or completes the given series or grid?

1   ?

a   b   c   d   e

2 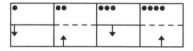

a   b   c   d   e

3  ?

a   b   c   d   e

Which shape or pattern completes the second pair in the same way as the first pair?

4 is to as is to

a   b   c   d   e

5 is to as is to

a   b   c   d   e

6 is to as is to

a   b   c   d   e

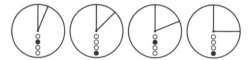

Which cube could not be made from the given net?

7 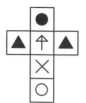   a   b   c   d   e

8 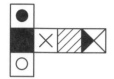   a   b   c   d e

9 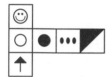   a   b   c   d e

Which shape on the right goes best with the shapes on the left?

10    a   b   c   d   e

11    a   b   c   d   e

12 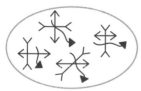   a   b   c   d   e

Puzzle ❶

Circle the two sets of parallel lines that are not equal in length.

A

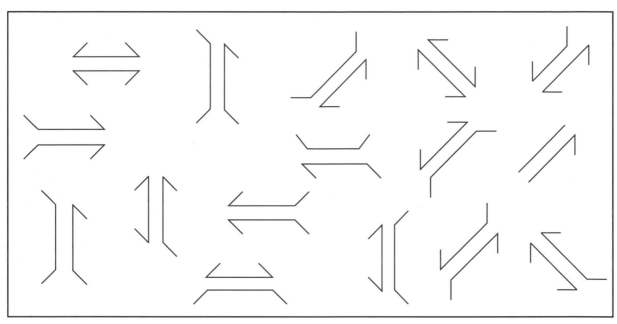

In which pattern is the bold square bigger than the white square in the middle.

B

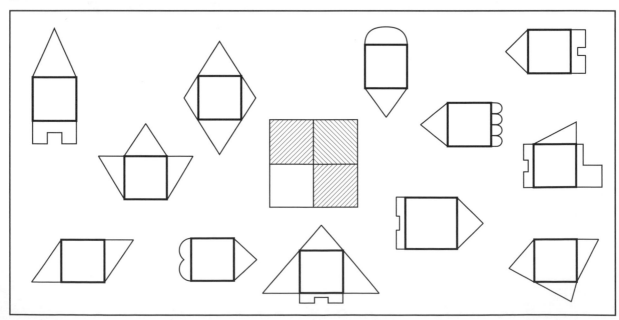

Puzzle ❷

In each box circle the pattern that is different from the rest.

A

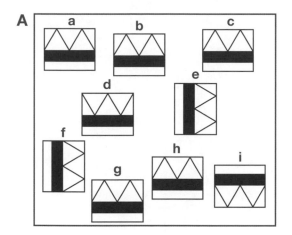

B

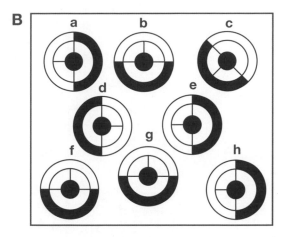

C

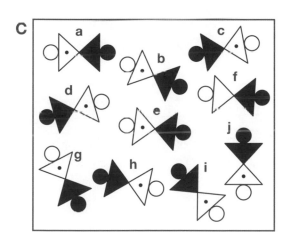

D

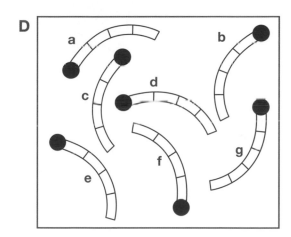

E

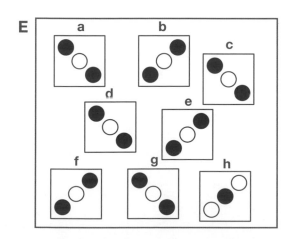

F

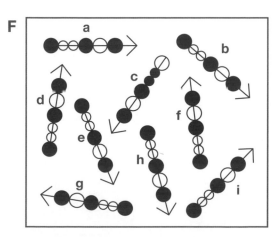

Puzzle ③

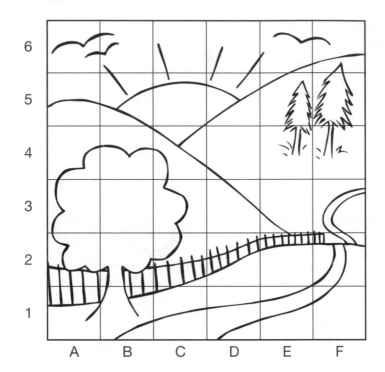

Which grid square is drawn below?

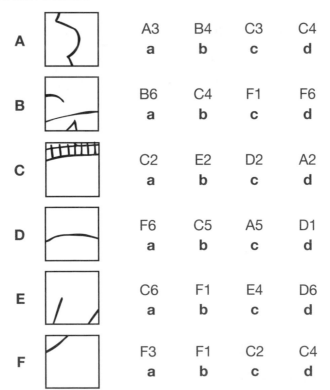

	A3	B4	C3	C4
A	**a**	**b**	**c**	**d**

	B6	C4	F1	F6
B	**a**	**b**	**c**	**d**

	C2	E2	D2	A2
C	**a**	**b**	**c**	**d**

	F6	C5	A5	D1
D	**a**	**b**	**c**	**d**

	C6	F1	E4	D6
E	**a**	**b**	**c**	**d**

	F3	F1	C2	C4
F	**a**	**b**	**c**	**d**

Puzzle ④

Identify and link the shapes that form a pair, in the same way as the pair already joined.

A

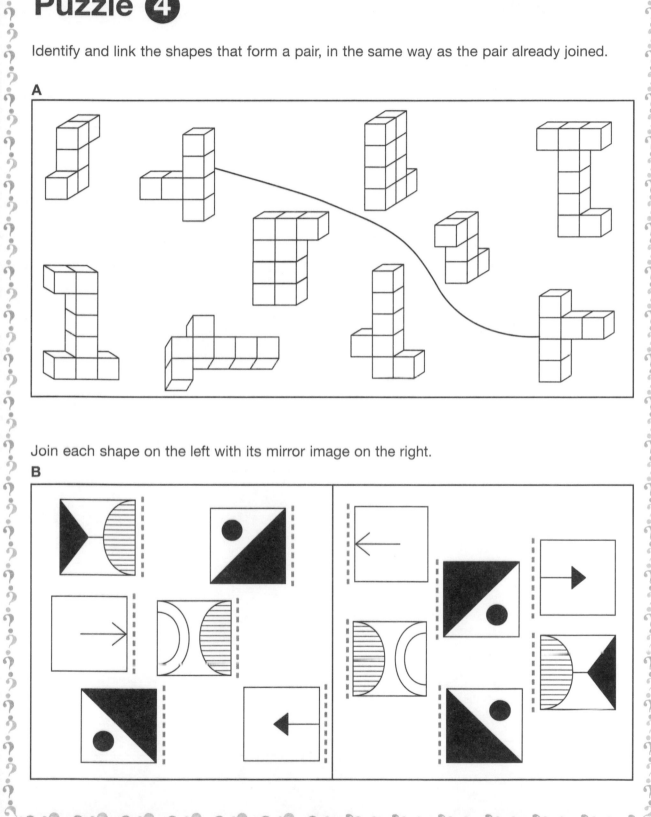

Join each shape on the left with its mirror image on the right.

B

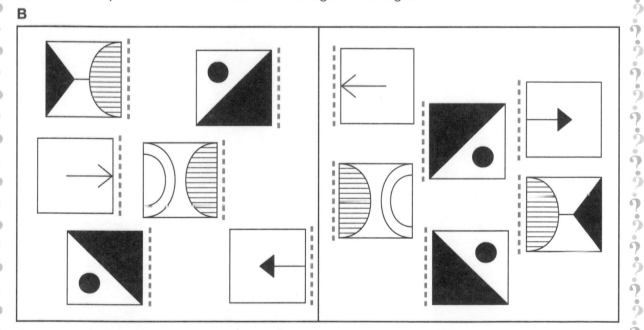

Puzzle ⑤

Complete these patterns by drawing their reflection in the dotted mirror line.
The first one has been started for you:

A

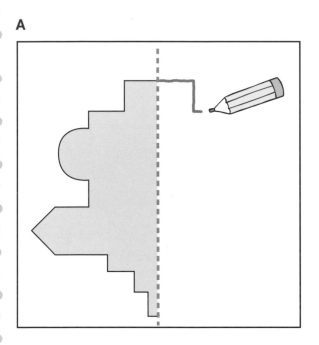

B

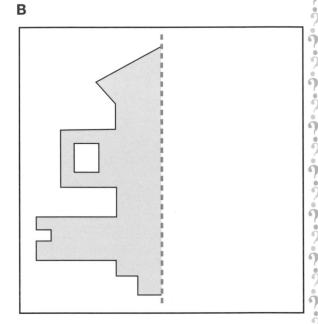

C

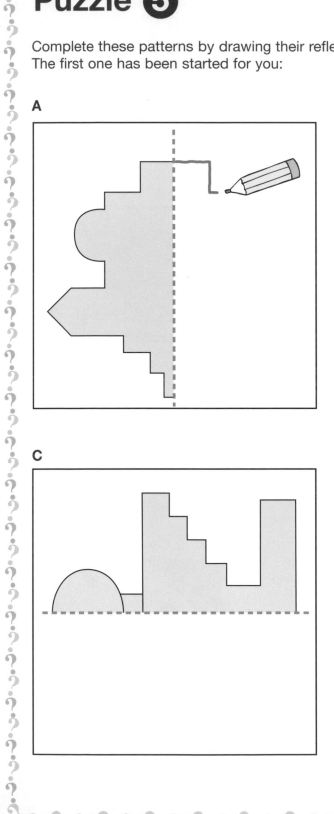

D

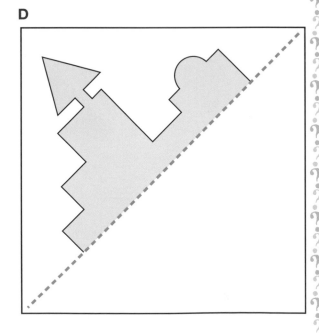

Progress Grid Non-verbal Reasoning 10 Minute Tests 10–11⁺ years

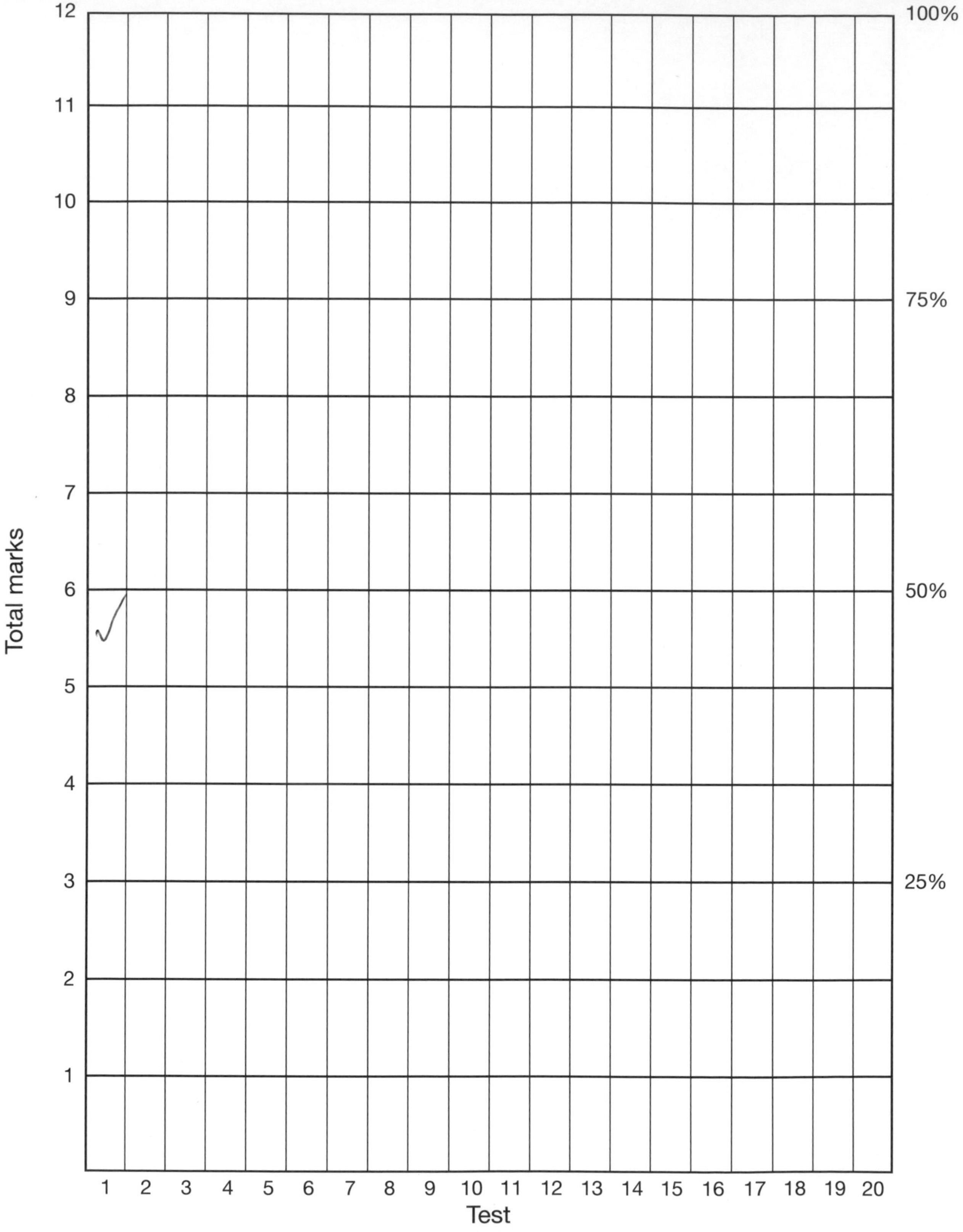

Answers

Test 19: **Mixed**

1	c
2	e
3	a
4	c
5	e
6	b
7	b
8	a
9	e
10	d
11	a
12	c

Test 20: **Mixed**

1	d
2	b
3	a
4	a
5	b
6	c
7	e
8	c
9	a
10	e
11	c
12	d

Answers

Puzzle ❶

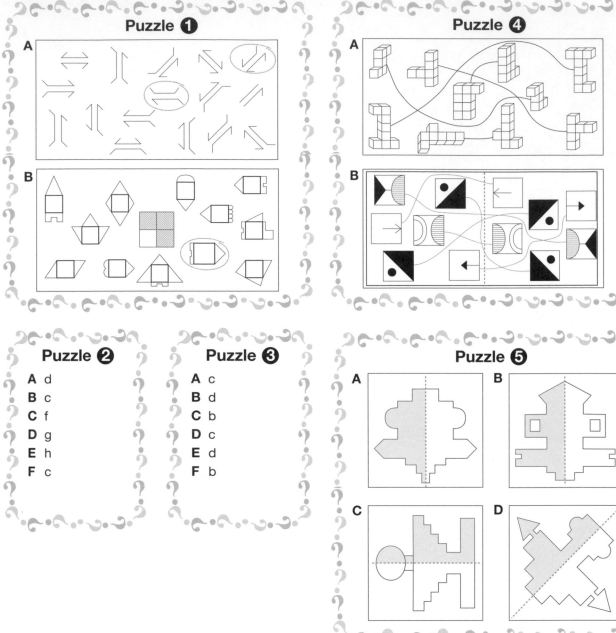

Puzzle ❹

Puzzle ❷

A d
B c
C f
D g
E h
F c

Puzzle ❸

A c
B d
C b
D c
E d
F b

Puzzle ❺

Answers

Test 1: Sequences and Codes

1 b
2 e
3 e
4 c
5 d
6 a
7 d
8 a
9 c
10 b
11 e
12 c

Test 2: Codes and Analogies

1 b
2 c
3 c
4 c
5 a
6 d
7 e
8 b
9 d
10 b
11 e
12 e

Test 3: Similarities and Sequences

1 c
2 d
3 a
4 d
5 e
6 c
7 e
8 b
9 a
10 c
11 e
12 d

Test 4: Sequences and Codes

1 a
2 e
3 c
4 b
5 c
6 d
7 d
8 a
9 c
10 b
11 e
12 a

Test 5: Cubes and Similarities

1 c
2 e
3 b
4 e
5 a
6 d
7 d
8 a
9 d
10 a
11 c
12 c

Test 6: Codes and Analogies

1 c
2 b
3 b
4 a
5 d
6 c
7 d
8 d
9 e
10 a
11 b
12 e

Test 7: Analogies and Cubes

1 c
2 e
3 b
4 d
5 a
6 d
7 d
8 e
9 c
10 b
11 c
12 a

Test 8: Sequences and Similarities

1 a
2 c
3 a
4 a
5 b
6 d
7 e
8 a
9 b
10 b
11 e
12 d

Test 9: Analogies and Similarities

1 b
2 b
3 b
4 d
5 e
6 a
7 a
8 e
9 c
10 b
11 d
12 c

Answers

TEST 10: Codes and Cubes

1 a
2 c
3 e
4 b
5 e
6 d
7 d
8 e
9 c
10 c
11 e
12 b

TEST 13: Mixed

1 a
2 c
3 d
4 d
5 d
6 e
7 c
8 a
9 b
10 d
11 e
12 a

TEST 16: Mixed

1 c
2 e
3 b
4 e
5 b
6 a
7 e
8 d
9 b
10 c
11 b
12 e

TEST 11: Mixed

1 d
2 d
3 e
4 b
5 d
6 b
7 a
8 e
9 b
10 a
11 a
12 d

TEST 14: Mixed

1 e
2 c
3 a
4 d
5 e
6 d
7 c
8 b
9 a
10 b
11 c
12 e

TEST 17: Mixed

1 c
2 d
3 b
4 a
5 e
6 b
7 e
8 c
9 d
10 d
11 b
12 e

TEST 12: Mixed

1 c
2 a
3 d
4 d
5 e
6 d
7 c
8 d
9 e
10 a
11 c
12 a

TEST 15: Mixed

1 d
2 c
3 e
4 b
5 b
6 a
7 e
8 c
9 c
10 e
11 d
12 d

TEST 18: Mixed

1 b
2 c
3 d
4 e
5 d
6 e
7 d
8 a
9 a
10 d
11 e
12 e